D0586056
winkelcentrum
supermarkt
pilaar
portiek
galerij
flatgebouw

Zwijsen

Maria van Eeden

Eerlijke vinder?

met tekeningen van Alice Hoogstad

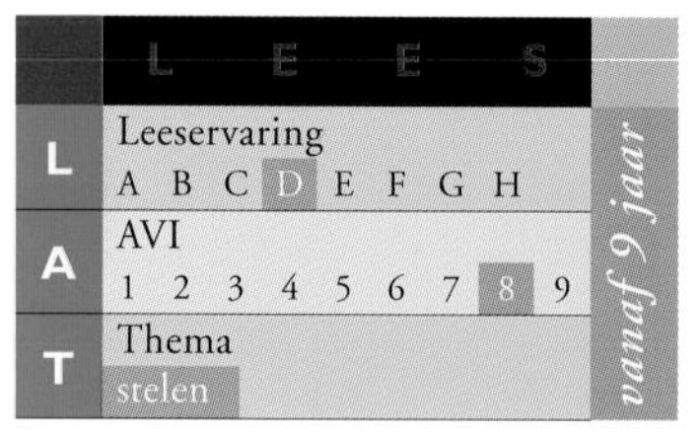

Toegekend door KPC Groep te 's-Hertogenbosch.

Leesmoeilijkheid: woorden met -ele, -iaal, -eel en -iële

Naam: *Milano Pozzi*
Ik woon met: *Mijn vader en mijn moeder en mijn kleine broertje Roberto, maar hem noemen we meestal Robert of Robbie. En we nemen nog een poes. Die wordt van ons allemaal.*
Dit doe ik het liefst: *(binnen) tekenen, lezen, televisiekijken en dingen maken (buiten) met mijn vrienden spelen: hutten bouwen, avonturen beleven*
Hier heb ik een hekel aan: *preitaart, opscheppers, dikke truien, wandelen*
Mijn beste vriend is: *Tom, de dromer, natuurlijk en hopelijk wordt Valerie mijn beste vriendin*
Later word ik: *Dat weet ik nog niet. Iets met dingen maken als dat kan*

1. Humbug

Met zijn handen in de zakken van zijn jack loopt Milano over straat. Zijn capuchon heeft hij over zijn pet getrokken. Je kunt maar een klein stukje van zijn gezicht zien. Eigenlijk is het veel te warm voor een jas.
Mam zei het nog toen hij naar buiten liep: 'Milano, het is nog steeds zomer, hoor!' Maar hij doet het juist expres. Hij wil niemand zien en zeker niet met iemand praten; daarom is hij juist naar buiten gegaan. Wat hij precies gaat doen, weet hij nog niet. Gewoon, een beetje rondlopen, maar hij wil niet het risico lopen dat hij iemand tegenkomt die hem kent. Zo, met zijn capuchon over zijn hoofd, is daar veel minder kans op.
Milano haalt uit en schopt tegen een verfrommeld blikje dat op de stoep ligt. Het schiet weg en botst met een felle tik tegen een voordeur. Oeps, dat was de bedoeling niet. Hij wacht niet af of er iemand naar buiten komt, maar loopt op een holletje de straat uit.
Vanzelf komt hij bij het winkelcentrum, ongemerkt eigenlijk. Hij is er nog nooit eerder binnen geweest, want wat zou hij daar ook moeten zoeken? Er is een grote supermarkt, een bankfiliaal en ook nog een winkel met bouwmaterialen ... niets te beleven dus.
Toch loopt hij het winkelcentrum binnen en het is precies zoals hij had gedacht. Het lijkt wel of de hele stad hier op woensdagmiddag boodschappen komt doen, maar nie-

mand ziet eruit of hij dat leuk vindt.
Een vrouw met twee volle boodschappentassen in haar handen botst tegen hem op. Bijna valt hij boven op een wandelwagen waarin een huilende peuter zit.
'Kijk uit, joh!' roept de moeder. Ze kijkt naar hem alsof híj de schuld is van het verdriet van haar kind. Milano wordt hier zelf ook niet vrolijker van, dus hij besluit rechtsomkeert te maken. Dat voornemen vergeet hij meteen weer, want juist op dat moment ontdekt hij een bijzondere winkel. Hij staat vlak voor een etalage en daar achter de grote glazen ruit staat het monster Humbug. Dat is de draak uit *Target! Target* is de nummer één van de televisie op het moment. Er bestaan ook een film en een computerspel van. Bijna alle jongens uit zijn klas hebben dat spel. Ze praten er de hele dag over en ook over de masterkaartjes die erbij horen. Van het ruilen met elkaar maken ze een heel ritueel. Milano zelf is zo ongeveer de enige die geen Targetspullen heeft. Op zijn oude school waren ze helemaal niet zo bezig met *Target,* maar hier lijkt het wel of er niets anders bestaat!
Eigenlijk is Milano helemaal niet zo'n computerfanaat. Hij houdt meer van tekenen, iets maken met zijn handen of spelletjes doen, dat soort dingen. Maar wat hij hier ziet, is toch wel superleuk!
Er staan een stuk of tien draakmonsters in de etalage, van klein tot groot. Er is er zelfs één bij die zo'n dertig centimeter hoog is. Allemaal staan ze in dezelfde dreigende

houding: tien keer Humbug die op zijn achterpoten staat. Met zijn voorpoten haalt hij uit naar zijn tegenstanders; zijn bek wijd open. Milano voelt bijna de verzengende hitte van het vuur dat hij straks uit zal blazen.
Rondom Humbug staan de andere wezens uit het spel: strijders en masters, de bergwezens en tovenaars … De hele etalage is ingericht met figuren uit *Target.* Dit zou ideaal zijn voor Tom, bedenkt Milano, want hiermee kun je het hele verhaal naspelen en ook allerlei nieuwe verhalen bedenken!
Een beetje aarzelend stapt hij over de drempel en het is of hij een andere wereld binnenkomt. De winkel is donkerder dan hij had verwacht en ook minder groot, maar hij staat van boven tot onder vol met fantastische wezentjes. En niet alleen uit *Target:* er zijn planken met boeken en spellen, kaarten en magische voorwerpen … zo veel! Milano heeft niet genoeg ogen om het allemaal te bekijken. Hij wist niet dat zulke winkels bestonden.
Als hij een figuurtje van het schap wil pakken, gewoon, om te bekijken, zegt de verkoper:
'Speciaal hè, die wereld van *Target?'* Hij zegt het vriendelijk, maar toch schrikt Milano. Hij trekt zijn hand terug.
'Alleen kijken kan eventueel ook!' zegt de verkoper, maar Milano loopt de winkel uit.
Voor het winkelcentrum is een plein. Milano ploft neer op een van de bankjes die daar staan. Hij heeft zin om ergens tegenaan te schoppen!

Het komt niet door wat die verkoper zei, die was gewoon aardig. Nee, hij is kwaad op zijn ouders, of eigenlijk op de hele wereld! Hij wrijft met zijn handen over zijn ogen. Hij mist zijn vriend Tom en er is niemand die dat begrijpt, helemaal niemand. Dat is het!
Het komt allemaal door de verhuizing, nu al bijna een maand geleden.
Zijn vader en moeder zijn er alleen maar blij om.
'Wat een ruimte!' zeggen ze steeds. En: 'Wat heerlijk dat we eindelijk een tuin hebben; ook voor Robbie!'
Nou, voor zijn ouders en zijn kleine broertje is de verhuizing misschien fijn, maar voor hém is het een ramp! Niet vanwege het huis: hun vorige huis was echt een stuk kleiner. Daar was amper ruimte om te spelen, terwijl hij hier een royale kamer heeft voor zichzelf alleen. Maar wat heeft hij daar nou aan als Tom er niet bij is?
Milano heeft hier nog steeds geen vrienden, dat is dus het probleem! Zijn klasgenoten op de nieuwe school zijn best aardig, maar ze hebben allemaal hun eigen vriendengroepje. Milano hoort nergens bij. Hij woont hier nu al bijna een maand en nog steeds heeft hij niemand. Het lijkt wel of hij niet bestaat!
Hij kan toch niet zomaar tegen iemand zeggen: 'Wil jij mijn vriend zijn?' Hij kijkt wel uit!
Daar komt nog bij dat zijn ouders financieel erg krap zitten. Het huis was heel duur en er moest van alles aan worden opgeknapt. Op dit moment is er geen geld voor een

club of dat soort dingen. Dus in zijn vrije tijd heeft hij ook al geen kans om iemand te leren kennen.
'Dat komt allemaal wel,' zegt mam telkens. 'Kijk eens om je heen, wat een ideale plek om te wonen! Laten we genieten van wat we hebben.' Zij denkt zeker dat je zomaar vanzelf nieuwe vrienden krijgt. Maar dat is dus niet zo, dat heeft Milano wel gemerkt.
En het lastigste is nog wel dat hij het niet kan uitleggen aan zijn ouders. Dat lukt hem gewoon niet, maar ondertussen stikt hij bijna van boosheid.
Het is toch zeker allemaal hun schuld!
Stom! Stom! STOM! denkt hij. Hij zucht zo diep dat hij kreunt.
'Gaat het jongen? Voel je je wel goed?'
Milano schrikt. Zonder dat hij het gemerkt heeft, is er een vrouw naast hem komen zitten. Ze buigt zich naar hem toe. 'Of ben je soms een meisje?' vraagt ze.
'Nee!' grauwt Milano. Hij draait zijn rug naar haar toe.
Nu is het de vrouw die zucht. 'Neem me niet kwalijk!' zegt ze. Milano hoort haar opstaan van de bank. Vanuit zijn ooghoeken ziet hij haar weglopen: een mevrouw met een blauwe jurk en witte haren. Ze trekt zo'n boodschappentas met wieltjes achter zich aan. Van achteren lijkt ze wel een beetje op zijn oma.

2. Een portemonnee

Met een ruk trekt Milano zijn capuchon naar achteren. Hij zet zijn honkbalpet extra stoer op zijn hoofd.
Een meisje, snuift hij, dat heeft nog nooit iemand tegen hem gezegd! Die vrouw heeft wel een speciale manier van kijken!
Hij staat op en tegelijk ziet hij dat er iets is blijven liggen. Een tas is het, een slappe donkerbruine damestas. Hij heeft precies dezelfde kleur als de bank.
Die is van die mevrouw, weet Milano meteen. Hij pakt de tas op en holt ermee in de richting waarin hij haar heeft zien weglopen. Als hij bij de rand van het trottoir aankomt, ontdekt hij haar niet meer. De mevrouw is verdwenen in een van de zijstraten die op het winkelplein uitkomen.
Een beetje besluiteloos staat Milano op de stoep. Wat zal hij doen met dit ding? Hij moet hem natuurlijk bij het politiebureau afgeven. Daar hebben ze zo'n afdeling gevonden voorwerpen, maar hij weet niet eens in welke straat het politiebureau is. Zal hij hem dan maar op de bank terugleggen?
Milano bekijkt de tas aan alle kanten. Hij is oud en in het leer zitten talloze kleine barstjes. Wat zou er eigenlijk inzitten?
Hij maakt het slotje open en steekt zijn hand in de tas. Meteen als zijn vingers iets aanraken, weet hij wat het is:

een portemonnee!
Milano klemt de tas tegen zijn borst en probeert de portemonnee open te maken. Er zit zo'n speciale sluiting aan: eerst een knip, dan een rits, en dan ook nog een drukknoopje. Als hij dat allemaal los heeft, stokt de adem in zijn keel. Er zit veel geld in de portemonnee, dat ziet hij in één oogopslag. Wat zou je daar een hoop mee kunnen kopen!
Kopen? Milano gooit de portemonnee terug in de tas en kijkt om zich heen, maar er is niemand die op hem let. Hij holt naar het dichtstbijzijnde bankje. Daar ploft hij neer. Hij is buiten adem en zijn hart klopt alsof hij een heel eind hard gelopen heeft.
Wat is er met me aan de hand, denkt hij. Straks zoek ik uit waar het politiebureau is en dan lever ik die tas gewoon af. Eventueel krijg ik dan zelfs een beloning, wie weet. Ik ben de eerlijke vinder!
Milano wil het meteen gaan doen. Hij is het echt van plan, maar er is iets dat hem tegenhoudt: een andere gedachte. Zou die mevrouw het merken als hij wat van dat geld achterhoudt, zou ze het missen? Het is zoveel!
Nog eens kijkt hij in de portemonnee. In het achterste vak zit een flink aantal bankbiljetten: een paar briefjes van vijftig en van twintig, maar ook een stel van tien en van vijf. Daar kan hij die halve spellenwinkel mee leegkopen!
Zomaar opeens krijgt hij een idee.
Stel je voor dat ik het doe: dat ik echt wat Targetspullen

koop. Als ik die kaartjes heb, kan ik morgen op school meedoen. Dan kan ik ruilen met de andere jongens en ... Milano voelt dat hij een kleur krijgt. Opnieuw kijkt hij naar de voorbijgangers. Allemaal hebben ze hun tassen vol met boodschappen. Hij staat op. 'Eerlijke vinder!' zegt hij hardop en hij zucht diep. Zou het politiebureau hier erg ver vandaan zijn? Dan opeens draait hij zich om en gehaast trekt hij de capuchon weer over zijn hoofd. Met trillende vingers pakt hij een briefje van vijftig uit de portemonnee. Hij stopt de tas onder zijn jack en hij holt terug, het winkelcentrum in. Bij de spellenwinkel aarzelt hij nog heel even, dan loopt hij toch naar binnen.
'Een T-targetspel en een set masterkaartjes!' zegt hij. Hij hoort zelf hoe zijn stem piept, maar de verkoper merkt het niet eens. Terwijl hij de spullen in een plastic tas stopt, lacht hij naar Milano.
'Ben je toch maar van gedachte veranderd?' vraagt hij. 'Groot gelijk! Het is een ideaal spel: je kunt het alléén spelen, maar ook samen met iemand anders.' Milano bromt wat en grist de tas uit de handen van de verkoper. Hij holt de winkel uit.
'Hé joh, wacht even!' roept de verkoper hem na.
Milano verstijft, maar er is niets aan de hand. De verkoper wappert met een briefje van vijf euro. 'Je krijgt nog geld terug, maar jij wilt natuurlijk zo vlug mogelijk aan de gang. Dat snap ik best!'
Milano slikt. Hij haalt een paar keer diep adem.

'Stom van me!' zegt hij, als hij het geld aanpakt. Dan loopt hij naar buiten, zo rustig mogelijk. Daar propt hij de plastic tas ook onder zijn jack.
'Geen mens komt dit te weten,' fluistert hij tegen zichzelf. 'Er zit zo veel geld in die portemonnee! Die mevrouw is vast heel rijk en dan mis je zo'n bedrag niet.'
Hij moet lang wachten voor hij kan oversteken. Het voetgangerslicht blijft een hele tijd rood.
Er komt een politieauto de straat inrijden, heel langzaam. Hij rijdt vlak voor Milano langs.
Plotseling gaat de sirene van de auto aan en de blauwe zwaailichten beginnen te flikkeren. Meteen houdt al het andere verkeer halt. De politiewagen keert midden op de weg, de banden piepen. In volle vaart verdwijnt hij in de richting vanwaar hij gekomen is.
Milano stapt achteruit en kijkt de auto na. Opeens krijgt hij een akelige gedachte: ik kan de tas helemaal niet wegbrengen, bedenkt hij. Als ik dat doe, kom ik vreselijk in de problemen. Waarschijnlijk weet die mevrouw wél precies hoeveel geld er in haar portemonnee zat. Dan ontdekt ze meteen dat er wat ontbreekt en dan ben ik erbij!
Hij draait zich om en loopt de andere kant op, terug naar huis. De bult onder zijn jack weegt zo zwaar als lood.

3. Oma

Milano heeft niet de kans om stilletjes het huis in te glippen, want mam staat in de keuken als hij binnenkomt.
'Mooi op tijd!' zegt ze. 'Ik ben juist iets lekkers aan het inschenken en er zijn ook chips! Ga maar vlug naar de kamer. Oma zit op je te wachten. Ze is er al een hele tijd!'
Oma is er vandaag, natuurlijk! Dat had Milano kunnen weten. Als pap op reis is voor zijn werk, komt oma altijd op woensdag bij hen eten. 's Avonds past ze dan op als mam naar haar cursus gaat. Meestal verheugt Milano zich erop als oma komt; vooral op het deel van de avond dat ze met zijn tweeën zijn. Oma heeft hem allerlei kaartspelletjes geleerd. Die spelen ze dan en ondertussen praten ze, dat is het leuke ervan. Als hij praat met oma, als hij haar iets uitlegt, snapt hij het zelf ook veel beter. Maar vandaag had hij daar niet op gerekend.
Met zijn armen om zijn buik geklemd wacht hij. Hoe krijgt hij die spullen ongemerkt naar boven?
'Neem jij de limonade mee naar binnen?' vraagt zijn moeder. Ze loopt de keuken uit met een dienblad vol glazen en bakjes.'
'Wacht, ik moet eerst even naar de wc!' roept Milano gejaagd, maar in plaats daarvan holt hij de trap op naar boven. Op zijn kamer haalt hij alles onder zijn jack vandaan. Hij stalt het voor zich uit op zijn werktafel. Pas nu realiseert hij zich dat hij niets aan het Targetspel heeft. De

computer staat op de werkkamer van zijn moeder, dus hij kan het spel niet spelen zonder dat zij het merkt!
Bovendien heeft hij nog een reëel probleem, want waar moet hij dit allemaal verstoppen?
Hij doet de deur van de kledingkast open. Zijn T-shirts, broeken en truien liggen op nette stapeltjes op de planken. Mam weet precies wat er ligt: zij zorgt voor de schone was.
Nergens in zijn kamer is een plek om het te verbergen. Als mam de kamer gaat stofzuigen, ziet ze zo'n vreemde tas meteen! Misschien onder zijn bed, zou mam wel eens in de schuifladen kijken?
'Milano!' roept mam van beneden, 'Waar blijf je?'
'Ja, ik ben er al!' Nu moet hij een besluit nemen. Haastig kiepert hij de schoenendoos om waarin hij zijn mini-autootjes bewaart. Met veel gekletter rollen ze over de vloer.
Milano propt de tas in de doos en zet die diep weg in een van de laden. Het Targetspel en de kaarten stopt hij zolang onder zijn dekbed. Daar zoekt hij vanavond wel een betere plek voor.
Gewóón doen en niets laten merken, neemt hij zich voor. Hij holt naar beneden, veel luidruchtiger dan anders.
'Oma!' roept hij, als hij de kamer inkomt. 'Ik was helemaal vergeten dat je zou komen!'
Oma zit aan de tafel met Robbie bij zich op schoot. Milano geeft haar een stevige knuffel en hij kietelt zijn

kleine broertje tot die het uitgilt. Daarna pakt hij een royale hand chips en met een volle mond zegt hij: 'Mag wel hè mam, ik heb het hard nodig!'
'Nou, nou, druktemaker!' lacht mam. Ze schenkt een glas limonade voor hem in. Ze vraagt niet wat hij vanmiddag gedaan heeft. Samen met oma haalt ze herinneringen op aan vroeger, toen ze nog thuis woonde.
Voor Milano lijkt het net of hij er niet bijhoort, bij die drie vrolijke mensen.
Stel je voor dat ik hun vertel wat ik gedaan heb, denkt hij. Wat zou er dan gebeuren?
Later op de avond blijven ze met zijn tweeën over, oma en hij. Mam is naar haar cursus vertrokken en Robbie hebben ze samen naar bed gebracht. Oma heeft voorgesteld om een potje te kloppen. 'Kloppen' is het kaartspel dat ze het liefst spelen. Het is een spannend spel waarbij je heel goed moet opletten, want het heeft een heleboel spelregels.
Meestal is Milano er goed in, maar vandaag wil het niet lukken. Hij moet de hele tijd denken aan wat hij die middag gedaan heeft.
Oma zit naar hem te kijken, dat voelt hij gewoon.
'Ben je er wel met je gedachten bij?' vraagt ze opeens.
'Ja, natuurlijk!' zegt Milano, maar ze weten allebei dat het niet waar is. Het spel duurt eindeloos lang. Oma helpt hem telkens, maar zo is winnen niet leuk.
'Volgende keer beter,' troost oma. Opgelucht begint

Milano de kaarten te sorteren. Dan vraagt oma precies waar hij bang voor was.
'Hoe gaat het met je, Milano, ik bedoel op school? Heb je al nieuwe vrienden?'
Milano staat op om de kaarten in de kast te leggen.
'Best!' mompelt hij. Oma komt naar hem toe en ze wrijft door zijn haren.
'Vertel eens wat meer!' Nu moet Milano haar wel aankijken. Vlug bedenkt hij wat hij kan antwoorden zodat ze niet verder vraagt.
'Er zit een leuk meisje bij ons aan de tafelgroep: Valerie heet ze. Ik vind haar grappig!' Hij is verbaasd over zijn eigen woorden. Het is waar, hij moet vaak naar Valerie kijken. Ze is anders dan andere meisjes, maar zo heeft hij nog niet eerder aan haar gedacht.
Oma vindt het blijkbaar heel gewoon.
'Je hebt dus een vriendinnetje,' plaagt ze. 'Daar kan een oud mens zoals ik niet tegenop.' Gelukkig vraagt ze niet verder.
Als hij daarna naar boven wil gaan, zegt oma:
'Wacht even, Milano, ik heb nog wat voor je.' Uit haar tas haalt ze een kleine envelop. 'Asjeblieft, een extra zakcentje!'
Er zitten twee briefjes van vijf euro in! Oma kijkt hem blij aan als hij het geld eruit pakt.
'Het is niet veel!' zegt ze, 'Maar geniet ervan!'
Elke andere dag zou Milano er vreselijk blij mee geweest

zijn, maar nu niet. Hij wordt bijna misselijk als hij naar de biljetten in zijn handen kijkt.
'D.. dat hoeft toch niet oma!' zegt hij. Hij probeert de envelop terug te geven, maar zijn oma neemt hem niet aan.
Je bent een grote lieverd!' zegt ze, 'Maar ik vind het fijn om mijn kinderen en kleinkinderen af en toe een extraatje te geven. Daar spaar ik speciaal voor!'
Milano voelt zich bepaald geen 'grote lieverd' als hij even later in zijn bed ligt. Dus slapen lukt niet, hoe hard hij het ook probeert. Hij moet de hele tijd aan die mevrouw van de tas denken. Dat komt vooral door wat oma gezegd heeft. Misschien is die mevrouw van de tas ook wel zo iemand. Wie weet, heeft ze dat geld ook speciaal gespaard om te kunnen weggeven.
Stel je voor dat iemand óma's tas gestolen had!
Met een ruk gaat Milano overeind zitten.
'Ik heb die tas niet gestólen, ik ben geen dief!' Het helpt niet dat hij die woorden hardop uitspreekt. Het woord *dief* galmt door zijn hoofd.
Hij stapt uit zijn bed en loopt op en neer door zijn kamer. Plotseling wordt er geklopt. Oma komt binnen.
'Wat is er toch Milano, waarom lig je niet in je bed? Kun je niet slapen?'
Een moment overweegt Milano om alles aan haar te vertellen. Oma bedenkt vast wel een manier om het op te lossen. Maar als ze weet wat hij gedaan heeft, zou ze hem

dan nog wel lief blijven vinden?
'Ik had een beetje buikpijn, maar het is al over!' zegt hij dus in plaats daarvan en hij kruipt terug in bed.
Oma dekt hem toe en ze geeft hem een knuffel.
'Je moet niet zo piekeren!' zegt ze. 'In het donker lijkt alles erger. Morgenvroeg ziet het er vast veel beter uit!' Als ze weer naar beneden gaat, laat ze de deur op een kier staan.
Milano kijkt naar de streep licht die in zijn kamer valt.
Dit gaat niet vanzelf over, weet hij, dit blijft erg! Opeens krijgt hij een idee. Hij stapt nog een keer uit zijn bed, zo stil mogelijk. Hij haalt de tas uit de schuiflade tevoorschijn en pakt de portemonnee eruit. Zorgvuldig schuift hij de twee biljetten die hij van oma gekregen heeft in het achterste vakje.
Dat is tenminste een begin, denkt hij als hij weer terug in bed stapt. En vanaf nu ga ik ook mijn zakgeld opsparen, net zolang tot ik alles weer terugbetaald heb. Dan breng ik de tas daarna alsnog naar de politie.
Nu kan hij eindelijk in slaap vallen.

4. Masterkaartjes

De volgende ochtend stopt Milano de masterkaartjes in zijn gymtas. Pas als hij op het schoolplein is, haalt hij ze tevoorschijn.
Op het plein staat een pingpongtafel. Daaromheen staat een aantal van zijn klasgenoten: Benno die bij hem aan de tafelgroep zit, Angelo en Dwayne ... Ze zijn druk met elkaar aan het onderhandelen. Hun kaartjes hebben ze op de tafel uitgestald.
Vlug gaat Milano bij hen staan, dit is zijn kans! Hij legt zijn stapel kaarten tussen die van hen.
'Ruilen?' vraagt hij.
'Best!' zegt Dwayne, 'Maar wat heb jij veel kaarten! Hoe kom je daaraan?'
'Gewoon, gekocht!' Milano maakt een waaier van zijn kaartjes. 'Ik heb ze allemaal!'
Voor Dwayne daarop kan antwoorden, roept Benno: 'Speciaal hoor, want wat wil je dan ruilen als je de hele serie al hebt?' Hij zegt het zo dat iedereen erom begint te lachen. Gelukkig gaat op dat moment de bel. Langzaam loopt Milano achter de anderen aan naar binnen. Wat is hij toch een stommerd!
Hij kan zijn aandacht nu niet bij zijn werk houden. De meester merkt het ook. Hij vraagt:
'Wat heb jij gisteravond uitgevoerd, Milano? Te veel gefeest zeker?' Het is een grapje dat hij wel vaker maakt,

toch vindt Milano het vervelend.
Op dat moment kijkt Valerie naar hem. Ze vertrekt haar gezicht en haalt haar schouders op. Daar heb je hém weer met zijn grapjes, betekent haar blik. Milano grimast naar haar terug en dan buigt hij zich over zijn werk. Nu en dan kijkt hij stilletjes naar Valerie. Hij moet denken aan wat hij gisteravond over haar heeft verteld aan oma. Het is waar, ze is echt grappig. Als ze praat, beweegt alles aan haar: haar haren, haar mond, haar handen ... Ze kan soms een tijd lang heel rustig werken en dan opeens maakt ze de hele klas aan het lachen met een opmerking.
'Valerie, stop!' zegt de meester dan wanhopig. Maar dat meent hij niet. Je kunt zien dat zelfs hij haar leuk vindt.
Opeens krijgt Milano een ingeving. Hij pakt het doosje masterkaarten uit zijn laatje. Als Valerie even niet kijkt, legt hij het snel op haar tafel.
'Hè, van wie is dit nou?' vraagt Valerie, als ze het doosje ontdekt. 'Waarom ligt dat op mijn tafel?'
Milano schraapt zijn keel, maar voor hij kan antwoorden zegt Benno:
'Die zijn van hém: complete serie!'
'J-jij mag ze hebben!' zegt Milano. Als Valerie hem verwonderd aankijkt, voegt hij eraan toe: 'Ik heb thuis nog veel meer!' Hij hoort zelf hoe opschepperig het klinkt.
Valerie rimpelt haar neus.
'Ik houd niet zo van *Target,'* zegt ze. 'Je kunt ze beter aan iemand anders geven!'

'Mag ik ze dan hebben?' Benno hangt over de tafel heen. Hij strekt zijn hand begerig uit. Milano kijkt van Valerie naar Benno. Dit is de bedoeling helemaal niet, maar hoe kan hij dat uitleggen?
'Oké!' bromt hij dus maar.
'Tof!' Benno grist het doosje van de tafel en bergt het weg in zijn eigen laatje. 'Bedankt!' zegt hij met een grote grijns op zijn gezicht.
'Zijn jullie bijna uitvergaderd?' De meester tikt hard met een liniaal tegen het bord. 'En zouden jullie dan eventuéél willen doorgaan met je werk?' Alle drie buigen ze zich snel over hun schrift. Af en toe kijkt Milano nog even tersluiks naar Valerie, maar zij let helemaal niet op hem.
Onder het speelkwartier komen Angelo en Dwayne met Benno naar hem toe.
'Heb je echt zo veel Targetspullen?' vragen ze. 'Ideaal, man! Zullen we na schooltijd met jou meegaan, dan kunnen we spelen!'
Daar heb je het nou! Milano moet razendsnel beslissen wat hij zal antwoorden. Hij kan niets anders bedenken dan: 'M-mijn moeder vindt het niet goed als ik iemand mee naar huis neem.'
Waarom zeg ik dat nou, denkt hij meteen daarna, nu had ik eindelijk de kans!
De jongens halen hun schouders op. 'Oké, dan niet!' Ze slenteren weg. Milano weet zeker dat ze hem niet geloven. Zij denken natuurlijk dat hij het zelf niet leuk vindt als ze

komen.
'Ik neem morgen wel wat van mijn Targetspullen mee om te laten zien,' roept hij hen achterna. Inwendig kreunt hij: stom, stom STOM!
Nu heeft hij het beloofd, dus hij zit eraan vast, maar hoe kon hij dat nou doen?
Als hij naar huis fietst, is zijn hoofd zwaar van het piekeren. Er is maar één manier om aan Targetspullen te komen, dat wéét hij.

5. Nog een keer

Als Milano thuiskomt, loopt hij rechtdoor naar boven. Hij doet zorgvuldig zijn kamerdeur achter zich dicht. Net als gisteravond trekt hij de schuiflade onder zijn bed vandaan en hij pakt de tas van de mevrouw.

'Het is mijn eigen geld!' zegt hij tegen zichzelf. 'Ik heb het eerlijk van oma gekregen.' Toch voelt het anders: het lijkt of hij steelt, als hij de twee briefjes van vijf uit de portemonnee pakt.

Hij kijkt naar het geld in zijn hand. Het is niet genoeg voor wat hij wil gaan kopen, dat weet hij. Gisteren in de winkel heeft hij de prijzen gezien.

Met trillende vingers pakt hij ook nog een biljet van tien euro erbij.

Ik geef het allemaal weer terug, neemt hij zich voor. Ik léén het alleen maar; ik houd het niet. Hierna pak ik er niets meer van, echt niet! Ik ga sparen van mijn zakgeld, net zolang tot ik het hele bedrag weer bij elkaar heb. En ik krijg vast wel weer een keer wat van oma, dus ... Hij vouwt de briefjes dubbel en stopt ze in zijn broekzak.

'Mam, ik ben even weg!' roept hij als hij weer beneden is. Voordat zijn moeder kan vragen waar hij naartoe gaat, heeft hij de buitendeur achter zich dichtgetrokken.

Gelukkig staat er vandaag een andere verkoper in de winkel. Milano heeft geen zin in een gezellig praatje. Hij loopt rechtdoor naar de kast met Targetspullen en bekijkt

de wezentjes die op de plank staan. Vier kleintjes kan hij kopen met dit geld, dat moet genoeg zijn.
Allereerst kiest hij natuurlijk de draak Humbug, daarna wordt het moeilijker. Uiteindelijk koopt hij een bergtrol, het gevleugelde paard Karos en een tovenaar.
Hij houdt nog precies één euro over. Bij een snoepwinkel koopt hij daar een grote rol drop voor en dan is het geld op.
Waarom doe ik dit nou, vraagt hij zichzelf af, ik heb er niet eens trek in! Hij propt de rol drop in zijn jaszak.
Terwijl hij terug naar huis fietst, lukt het hem niet om zijn aandacht erbij te houden. Hij rijdt bijna iemand ondersteboven.
'S.. sorry,' stamelt hij, 'Ik had u niet gezien!' Dan fietst hij snel door. De man roept hem boos iets na, maar Milano hoort niet wat hij zegt.
'Waar was je?' vraagt zijn moeder als hij thuiskomt.
'Nou ...' begint Milano te verzinnen. Dan bedenkt hij zich. Hierover hoeft hij niet te liegen.
'Kijk!' Hij haalt de Targetfiguurtjes tevoorschijn en zet ze naast elkaar op de tafel. 'Dit heb ik gekocht! Ik had geld gekregen van oma, gisteravond.' Hij zucht diep. Het is misschien geen leugen, maar de waarheid is het ook niet; dat weet hij best. Over de rol drop zwijgt hij helemaal.
Mam heeft niets in de gaten. 'Wat lief van oma!' zegt ze.
Ze bekijkt de kleine figuurtjes stuk voor stuk.
'Ik kan me voorstellen dat je daar blij mee bent.' Gelukkig

kijkt ze hem op dat moment niet aan.
Kleine Robbie vindt ze ook prachtig, vooral Humbug. Als Milano de figuurtjes weer terug in het zakje wil stoppen, protesteert hij. Hij wil het draakje niet meer afgeven.
'Oké, houd hem dan maar!' zegt Milano. Het kan hem niets meer schelen.
'Maar Milano, weet je dat zeker? Wat ben je toch een grote lieverd!' zegt zijn moeder. Milano bromt wat onverstaanbaars terwijl hij de kamer uit gaat. *Lieverd,* dat zei oma ook al!
Op zijn kamer gaat hij languit op bed liggen. De drie Targetfiguurtjes zet hij op zijn kussen: de trol tegenover het paard Karos; de tovenaar een stukje verder weg ... het wordt vanzelf een verhaal. Het vertelt over de strijd tussen goed en kwaad.

De bergtrol is de slechte. Hij rooft waar de mensen het meest van houden: kleine kinderen. Die sleurt hij mee naar zijn hol, maar Karos kan op plekken komen die de trol niet kent. Met zijn sterke vleugels vliegt het paard hoger nog dan de bergen. Hij sluit vriendschap met de adelaars die hun nest hebben gebouwd op de bergtoppen. Met elkaar maken ze een plan om de trollen te verslaan; om de kinderen te bevrijden. Maar dan is er ook nog de tovenaar…

'Milano, slaap je?' De stem van zijn moeder haalt hem met een schok uit zijn verhaal vandaan. Even weet hij niet

wat er aan de hand is. Moet hij opstaan, is het ochtend?
Zijn moeder staat over hem heen gebogen. 'Voel je je wel goed, Milano?' vraagt ze, 'Is er iets?'
Milano komt overeind. Hij is stijf geworden van het liggen en binnen in zijn hoofd zit een raar gevoel. Heeft hij geslapen, was het een droom? Hij geeuwt.
Dan opeens herinnert hij zich zijn geheim en hij zucht diep.
'Ik ... ik weet niet!' zegt hij.
Zijn moeder houdt haar hand tegen zijn voorhoofd.
'Volgens mij word je ziek!' zegt ze. 'Er zit je iets dwars. Gisteren was je ook al niet zo lekker, dat heb ik heus wel gemerkt. Doe maar een beetje rustig vandaag. En als je morgenvroeg nog niet fit bent, houd ik je eventueel een dagje thuis!'
Wat later zit Milano met zijn schetsboek en zijn viltstiften bij de tafel te tekenen. Hij tekent de draak Humbug na voor Robbie en hij verzint er allerlei andere enge monsters bij. Ondertussen vertelt hij een griezelig verhaaltje. Robbie geniet.
'Meer!' roept hij telkens. 'Nog meer!'
Mam staat te strijken. Af en toe kijkt ze naar hen beiden en dan lacht ze. Als ze ziet dat Milano ook naar haar kijkt, geeft ze hem een knipoog.
Nu kan het, nu durf ik! Milano neemt een grote hap lucht.
'W.. weet je mam,' begint hij. Op datzelfde moment valt

Robbie van zijn stoel en hij barst in tranen uit. Mama tilt hem op en ze troost hem:
'Luister, Robbie, straks belt papa op, helemaal uit Spanje. Dan kun je vertellen dat je zo'n mooie draak hebt gekregen ...' Heel snel is hij getroost, maar dan heeft Milano zich al bedacht. Hij gaat mam niet vertellen wat hij gedaan heeft.
Als pap op reis gaat, zegt hij altijd: 'Milano, nu ben jij de man in huis. Ik reken op je!'
Pap mag er zéker niet achterkomen!
Hij pakt een nieuwe viltstift en tekent een paard met een roofvogelkop. Uit zijn hoeven komen oranje vlammen.
'Het gaat al veel beter!' zegt hij zonder zijn moeder aan te kijken.

6. De ideale oplossing

Karos, het witte paard, vliegt hoog boven de toppen van de bergen. De zon komt steeds dichterbij. Milano kan de warmte voelen.
Het is Karos niet; Milano is het zelf die daar vliegt. Nog hoger vliegt hij, maar dan onverwacht werpt de bergtrol zijn bijl omhoog. Die zoeft door het luchtruim. Plots steekt een stormwind op. Donder en bliksem jagen door de lucht. De vleugels van Milano wervelen hem rond en rond. Ze kunnen hem niet meer dragen. Hij stort naar beneden. Met zijn muil wijdopen gesperd, staat Humbug hem op te wachten ...

Vlak voordat Milano in de vurige bek van Humbug terechtkomt, wordt hij wakker. Zijn hart klopt wild en ook nu hij wakker is, kan hij de schrik niet van zich afzetten. Het was maar een droom, houdt hij zichzelf voor. Dromen zijn bedrog! Waarom voelt het dan nog steeds zo echt?
Buiten zingen de vogels al, maar in huis is nog niemand wakker. Milano stapt uit zijn bed. Op zijn werktafel staan de Targetfiguurtjes. Hij gaat er op een stoel bij zitten en zet ze op een rij: het paard, de tovenaar en de trol. Het zijn alleen maar drie plastic poppetjes, toch waren ze in zijn droom levend en sterk. Hoe kan dat, hoe werkt dat in dromen? Komt dat doordat hij er op deze oneerlijke manier aan is gekomen?

Opeens weet Milano heel zeker dat hij ze niet langer wil hebben, maar wat moet hij er dan mee doen? Weggooien is natuurlijk zonde!
Meteen heeft hij een beter plan: hij kan ze weggeven! Straks op school, gaat hij ze eerst gewoon aan de jongens laten zien en dan zegt hij langs zijn neus weg: 'Kies er maar een uit!' Dat is een ideale oplossing, want daarna zullen de jongens vast wel met hem willen afspreken om te spelen!
Hij kruipt terug in zijn warme bed, maar slapen lukt niet meer. Was het maar alvast tijd om naar school te gaan!
Al vroeg is hij op het plein. De jongens zijn er nog niet, maar hij vindt het niet erg om te wachten.
Pas als het bijna halfnegen is, komt Dwayne het schoolplein op lopen. Hij draagt een grote mand. Benno en Angelo lopen als twee schildwachten met hem mee.
De jongens komen niet naar de plek waar Milano op hen staat te wachten, maar ze gaan rechtstreeks de school binnen.
Als Milano daarna de klas in komt, staat de mand van Dwayne op het bureau van de meester. Een heel groepje kinderen dromt eromheen. Nu snapt hij wat er aan de hand is: Dwayne is jarig en in die mand zit de traktatie die hij straks gaat uitdelen. Hij moet dus zijn plannetje uitstellen, jammer, maar straks onder het speelkwartier heeft hij er ook tijd genoeg voor. En dan zul je eens zien!
De les begint vandaag met een kring, dat is op deze school

de gewoonte. De jarige wordt toegezongen door de hele klas en vervolgens deelt hij uit. Terwijl de kinderen hun lekkers opeten, mag hij vertellen.
'Kijk, dit heb ik gekregen!' zegt Dwayne. Uit de mand die hij heeft meegebracht, haalt hij vijf verschillende Targetfiguurtjes tevoorschijn: Humbug, de trol, de tovenaar en nog twee andere. Hij zet ze midden in de kring. Alle vijf zijn ze groter dan die van Milano; veel groter. Dwayne heeft ook nog een Targettrui gekregen, vertelt hij, maar dat hoort Milano niet meer. Binnen in zijn hoofd voelt hij een soort storm opsteken: het suist in zijn oren. Het liefst was hij nu de klas uit gelopen. Met moeite eet hij het zakje chips dat hij gekregen heeft leeg.
Onder het speelkwartier staan de drie jongens bij elkaar. Milano loopt naar hen toe, want hij wil het toch nog proberen.
'Ik ... ik had gisteren toch afgesproken wat van mijn Targetspullen mee te nemen ...' zegt hij, terwijl hij de figuurtjes tevoorschijn haalt. Hij zet ze op de pingpongtafel, maar geen van de drie heeft echt belangstelling.
'Grappig!' zeggen ze, dan praten ze weer verder. Milano blijft even staan luisteren: ze hebben het over het feestje van Dwayne; over wat ze gaan doen en wie er allemaal komen. Dat wil hij allemaal niet weten, eigenlijk. Hij slentert naar de grote zandbak aan het eind van het plein. Een stelletje kleuters is daar druk aan het graven. Milano pakt de rol drop uit zijn jaszak.

'Wie heeft er trek in iets lekkers?' roept hij en dan zijn in een mum van tijd alle dropjes verdwenen.
Het werken in de klas lukt daarna niet meer, maar Milano doet er ook niet zijn best voor. Terwijl de meester uitlegt hoe je op een speciale manier kunt vermenigvuldigen, zit hij te tekenen. Karos tekent hij, vliegend door het lucht-ruim.
Als ik vleugels had, denkt hij, dan zat ik hier niet. Dan was ik vrij.
Hij tekent zichzelf op de rug van Karos. Karos is zijn vriend en samen reizen ze naar ...
'Wat kun jij goed páárden tekenen!' Valerie roept het hardop door de klas. 'Laat eens kijken!' Ze wil het blaadje met de tekening van zijn tafel pakken, maar Milano grist het weg en verfrommelt het papier tot een prop.
'Zonde!' roept Valerie.
De hele klas kijkt nu naar hen tweeën.
'Is het klaar?' vraagt de meester geïrriteerd. 'Als jullie zo doorgaan, mogen jullie allebei nablijven om drie uur!'
Milano haalt zijn schouders op. Het kan hem allemaal niets meer schelen. Maar als hij na school naar huis fietst, krijgt hij opeens een ingeving.
Ik breng de tas gewoon terug, besluit hij. Ik zet hem bij de bank waar ik hem gevonden heb, dat is de ideale oplos-sing! Het computerspel stop ik er ook in. Zo komt nooit iemand te weten wat ik gedaan heb.
Dan ben ik overal vanaf!

7. Fancy fair

Robbie staat voor het raam op de uitkijk. Als Milano binnenkomt, holt hij op zijn dikke beentjes naar hem toe.
'Milano,' roept hij, 'we gaan uit!'
'Uit?' vraagt Milano. Hij zegt het met zo veel afkeer in zijn stem dat mam ervan in de lach schiet.
'De fancy fair van je oude school wordt vandaag gehouden, weet je nog? Daar hebben we helemaal niet meer aan gedacht door al die veranderingen. De moeder van Tom belde er vanmorgen over op. Gelukkig maar, want dit is een ideale manier om iedereen weer te zien. Ik zou het voor geen goud willen missen, en jij toch ook niet?' Mam wacht niet op zijn antwoord, maar ze loopt de gang in om haar jas te pakken. 'Laten we maar meteen gaan, dan hebben we een fijne, lange middag!' Ze rammelt met de autosleutels.
Milano raakt helemaal in de war. De fancy fair! Vóór de verhuizing heeft hij daarover met zijn oude klas al wilde plannen gemaakt. Maar eerlijk gezegd, was hij het zelf ook totaal vergeten en nu wil hij er absoluut niet naartoe. In ieder geval niet vandaag, want dan kan hij die tas nóg niet terugzetten. Dan moet hij nóg langer met zijn geheim rondlopen en dat houdt hij niet uit! Trouwens, als Tom hem ziet, wil hij natuurlijk alles weten over deze school en over zijn nieuwe vrienden. Wat moet hij daar dan op antwoorden? Hij kan toch niet liegen tegen zijn beste vriend?

Hij gaat bij de tafel zitten en steunt met zijn hoofd in zijn handen.
'Wat is er?' vraagt zijn moeder. 'Ben je ziek?'
'Nee, ik weet het niet!' zegt Milano. 'Ik voel me zo vreselijk raar!' Dat is tenminste geen leugen.
'Dan blijven we thuis,' besluit mam, 'Het is jammer, maar als je niet lekker bent, doen we het niet!'
Als Robbie dat hoort, begint hij prompt te huilen. Milano probeert mam te overtuigen dat hij best alleen kan blijven.
'Ik ben niet écht ziek,' zegt hij.
'Geen sprake van, ik laat je nu niet alleen thuis!' zegt mam, maar Milano ziet dat ze al van gedachten veranderd is. Als hij dan ook nog zegt dat hij het eigenlijk wel lekker vindt, een paar uurtjes alleen, moet ze lachen. Ze wrijft met haar hand door zijn krullen.
'Flinkerd!' zegt ze. 'Ik bel je op als ik er ben!' Dan vertrekken ze. Milano zwaait hen na tot de auto uit het zicht verdwenen is. Flinkerd, denkt hij terwijl hij de voordeur dichtdoet. Mam moest eens weten. Dan holt hij naar zijn kamer.
Als hij de tas en het computerspel tevoorschijn haalt, moet hij ondanks alles een beetje lachen. Hij heeft het spel nog niet eens uit de verpakking gehaald. Wat is hij stom geweest!
Hij doet de tas open en laat het spel erin vallen.
'Tok!' klinkt het: er zit iets hards onder in de tas!
Eigenlijk heeft hij nog geen enkele keer goed in de tas

gekeken, realiseert hij zich nu.
Op zijn tenen loopt hij naar de deur. Even luistert hij, ook al weet hij best dat er verder niemand in huis is. Dan doet hij de deur dicht. Hij gaat aan zijn werktafel zitten en houdt de tas ondersteboven. De portemonnee en het Targetspel vallen eruit, maar ook een plastic fotomapje en een sleutelhanger met twee sleutels eraan.
Als hij schudt, komen er nog een haarspeld, een paar knopen en wat verfrommelde briefjes uit vallen.
Milano legt de spullen naast elkaar, van groot naar klein. Als hij de sleutels oppakt, moet hij zomaar opeens aan oma denken. Hij probeert die gedachten weg te duwen, maar dat lukt niet.
Zou die mevrouw alleen wonen, net als oma? Of zou er iemand in huis geweest zijn, iemand die de deur voor haar kon openmaken toen ze die middag thuiskwam?
Vast wel, stelt hij zichzelf gerust, maar toch trillen zijn vingers als hij het fotomapje openmaakt. Er zitten foto's in van kinderen. Het zijn er een heel stel. Zie je wel, hij had het dus goed geraden: die mevrouw is ook grootmoeder. Het zijn foto's van haar kleinkinderen.
Nee, niet meer aan denken ... Met een haal van zijn arm veegt Milano alle spullen terug in de tas. Hij wil hem geen moment langer in huis hebben!
Hij staat al in de schuur om zijn fiets te pakken, als er een vervelende gedachte in hem opkomt. Zo'n ideale oplossing is het niet, wat hij bedacht heeft. Want wat gebeurt er

straks met de tas, als hij die op de bank heeft achtergelaten?
Stel je voor dat het een dief is die hem vindt. Die houdt beslist al dat geld en dan krijgt die mevrouw haar tas nooit terug!
Maar wat moet hij dan? Het zweet breekt Milano uit als hij aan de enige reële mogelijkheid denkt: het politiebureau!
'Dat doe ik ook nooit!' roept hij door de lege tuin. 'Ik breng hem niet naar de politie!' Hij stampt zo hard op de grond dat zijn voeten er pijn van doen. Hij komt er nóóit vanaf! Met de tas in zijn hand loopt hij terug naar zijn kamer en gaat op zijn bed liggen. Hij wacht, maar huilen lukt ook al niet.
Was er maar iemand aan wie hij het durfde te vertellen! Alleen bestaat zo iemand niet, dat weet hij zeker.
Na een hele tijd komt hij overeind. Hij boent hard met zijn vuisten over zijn ogen.
'Ik los het zelf wel op!' mompelt hij. Opnieuw gooit hij de inhoud van de tas op zijn tafel. Hij vouwt de papiertjes open en wrijft ze glad. Wie weet, misschien staat daar iets op waarmee hij verder kan.
Maar het zijn alleen bonnetjes uit winkels en boodschappenbriefjes. Hier heeft hij niets aan.
Zou er in de portemonnee misschien een soort aanwijzing zitten? Met gloeiende wangen kijkt hij tussen de geldbriefjes, maar ook daar vindt hij niets. Niet eens een betaalpas.

Net als hij denkt dat hij dus echt niets bruikbaars zal vinden, ontdekt hij toch nog wat. Aan de sleutelhanger zit een plastic kaartje en daarop staat een lang getal. Dat kan alleen maar een telefoonnummer zijn!

8. Mevrouw Verhagen

Met bevende vingers toetst Milano het nummer in dat op het kaartje staat. De telefoon aan de andere kant gaat over. *Toeoeoet, toeoeoet, toeoeoet,* eindeloos veel keer.
Met ingehouden adem wacht hij af. Laat er niemand thuis zijn, wenst hij, asjeblieft, maar tegelijkertijd hoopt hij dat er wel wordt opgenomen.
Net als hij de telefoon weer wil uitzetten, hoort hij een zachte klik en een vrouwenstem die zegt:
'Met mevrouw Verhagen!'
Milano verstijft. Hij ziet dat zijn knokkels wit worden, zo hard knijpt hij in het toestel. Hij slikt.
'Met mevrouw Verhagen!' hoort hij weer. En dan iets harder: 'Hallo, met wie spreek ik? Ben jij dat, Kiki?'
Milano geeft geen antwoord. Hij zet de telefoon uit en legt hem neer. Dan staat hij op en loopt heen en weer door de kamer. *Mevrouw Verhagen,* zo heet ze dus. Want het was die mevrouw, dat is duidelijk. Maar wat heeft hij eraan dat hij dat weet? Wat kan hij nu verder nog doen? Hij kan haar natuurlijk nog een keer opbellen en zeggen: 'Mevrouw Verhagen ik heb uw tas gevonden. Komt u hem ophalen?' Nee dus, hij kijkt wel uit!
Opnieuw gaat hij aan zijn werktafel zitten en hij bestudeert de foto's die in het mapje zitten. Zo ontdekt hij iets grappigs: het zijn niet allemaal verschillende kinderen, zoals hij eerst had gedacht. Eigenlijk zijn het er maar vier,

drie meisjes en een jongen, maar van elk van hen zit er een aantal foto's in. Ze zijn alleen op verschillende momenten genomen: als baby en als kleuter, en ook als ze wat groter zijn. Milano weet zeker dat hij gelijk heeft. Hij herkent ze aan hun haar en aan de kleur van hun ogen. En een van de meisjes heeft een gezicht vol sproeten. Het is een leuke puzzel!
Eigenlijk weet hij al best veel van die mevrouw, realiseert hij zich. Niet alleen haar naam en haar telefoonnummer. Door de kleur van haar haren en de manier waarop ze wegliep, wist hij dat ze niet jong meer is. En nu heeft hij dus ook ontdekt dat ze vier kleinkinderen heeft. Een van hen heet Kiki, dat zei ze zo-even door de telefoon.
Op een van de foto's staat een grappig, klein meisje met korte blonde piekhaartjes. Dat zou wel eens die Kiki kunnen zijn: van dat meisje zit er in ieder geval geen foto bij van dat ze ouder is.
De telefoon gaat over! Dat is mevrouw Verhagen, denkt Milano een kort moment, al weet hij dat die gedachte onzinnig is. Hij neemt toch maar op en gelukkig, het is zijn moeder maar. Mam wil weten hoe het met hem gaat. 'Ik vind het geen prettig idee dat jij nu alleen bent!' zegt ze.
'Het gaat best!' Milano zegt het een paar keer zo stoer mogelijk. 'Echt mam, je hoeft niet thuis te komen. Maak je maar geen zorgen!' Daarna zet hij de telefoon terug. Zijn blik valt op het telefoonboek dat op het tafeltje naast

het toestel ligt. Hij krijgt een idee: als hij de naam van die mevrouw opzoekt, weet hij waar ze woont. Daar had hij eerder aan moeten denken!
Toch is het minder makkelijk dan hij dacht. Er zitten wel een paar honderd heel dunne bladzijden in het telefoonboek. En op elk daarvan staan lange rijen namen in piepkleine lettertjes.
Eindelijk heeft hij de juiste bladzijde gevonden. *Verhagen* daar staat het! Alleen: er zijn meer mensen die zo heten. Milano telt de naam dertien keer. Bijna raakt hij in paniek, maar meteen daarna lacht hij zichzelf uit. Wat een sufferd is hij toch: hij weet immers het telefoonnummer! Zo is het niet moeilijk meer, want er is maar één nummer dat klopt: *Verhagen, S.J.* staat erachter, *Regenbooglaan 254.* Die straat kent hij wel, want daar komt hij altijd langs als hij naar school fietst. Het is niet ver van het winkelcentrum.
Nu weet hij zelfs waar die mevrouw woont!
Weet je wat, hij gaat er gewoon eens even kijken!
Vlug stopt hij alle spullen van mevrouw Verhagen terug in de tas en hij verbergt die weer in de la onder zijn bed.
Dan pakt hij zijn fiets en hij rijdt naar de Regenbooglaan. Het is een lange straat. Aan beide kanten van de weg staat een rij flatgebouwen, steeds afgewisseld met een rijtje eengezinswoningen. De flatgebouwen zien er allemaal precies hetzelfde uit. Milano fietst de straat helemaal door en daarna ook weer terug. Nummer 254 heeft hij nog niet

ontdekt. Dit zijn geen huizen waar je 'toevallig' even naar binnen kunt kijken.
Nog een keer rijdt hij de straat door, nu heel langzaam.
Zo komt hij erachter dat elke flat één portiek heeft.
Daarop staat duidelijk aangegeven wat de huisnummers van die bepaalde flat zijn. Dan heeft hij nummer 254 ook vlug gevonden.
Milano stalt zijn fiets in het rek dat op het trottoir voor de flat staat en loopt de portiek binnen. Hij doet zo gewoon mogelijk, net alsof hij bij iemand op bezoek gaat.
In de hal vindt hij wat hij zoekt. Op de wand naast een enorme rij brievenbussen hangt een paneel. Daarop zitten de naambordjes van alle woningen: vijf rijen van acht.
Boven elk naambordje zit een bel.
Milano ontdekt de naam meteen: *S.J. Verhagen.* Nummer 254 is op de derde etage.
Er is een trap en er gaat ook een lift naar boven.
Maar heel kort aarzelt Milano, dan loopt hij de trap op zodat hij meteen kan omkeren en kan teruggaan naar buiten, als dat nodig is. Maar hij komt niemand tegen, dus even later staat hij op de derde verdieping. Behoedzaam loopt hij de glazen klapdeur door, de galerij op. Ook daar is geen mens te zien.
Als hij langs de woningen loopt, hijgt hij een beetje. Ik ben niet bang, zegt hij tegen zichzelf, het komt van het harde lopen. Hij telt de huisnummers af. Steeds zijn er twee voordeuren schuin naast elkaar, een helderrode en

een donkerrode. De deuren staan een stukje naar achteren in een soort hal. 258, 257, 256, 255 ... nu!
Toch krijgt hij een schok als hij het huisnummer ziet staan: 254. De voordeur is helderrood.
Hij springt opzij en verbergt zich achter een pilaar. Pas na een tijdje durft hij opnieuw te kijken.
Op de grond voor de deur ligt een bruine mat met het woord 'welkom' erop. Aan een haak naast de deur hangt een pot met een plant. En onder het bordje met het huisnummer zit een naamplaatje: *S.J. Verhagen.* Voor het raam zit een jaloezie. Je kunt niet naar binnen kijken, maar dat betekent ook dat niemand hem kan zien. Nu durft Milano eindelijk gewoon adem te halen. Hij stapt achter de pilaar vandaan.
'Hoi Milano, wat doe jij hier?' roept een verbaasde stem.

9. Valerie

Het is Valerie. Ze komt tevoorschijn ergens vanaf de andere kant van de galerij en ze holt naar hem toe.
'Milano, wacht!' roept ze, maar Milano denkt er helemaal niet aan om weg te lopen. Het is zoiets ongelooflijks dat Valerie nu net hier op deze plek is. En Valerie is waarschijnlijk net zo verbaasd als hij.
'Wat doe jij hier nou?' roept ze nog een keer. Dan staat ze voor hem. Milano weet niet wat hij moet antwoorden. Hij hapt naar lucht.
'Ik ... eh ... Ik ga naar mijn oma!' Het glipt eruit zonder dat hij erover heeft nagedacht.
'Naar je oma, woont die dan hier?' vraagt Valerie.
'Ja daar!' Milano wijst naar de helderrode deur.
'Is dat je oma?' zegt Valerie ongelovig. 'Hoe kan dat nou?' Ze bestudeert Milano's gezicht. 'Volgens mij lieg je! Je stond gewoon te spioneren, dat heb ik heus wel gezien!'
Opeens kan Milano zich weer bewegen. Met zijn beide handen duwt hij Valerie opzij, zo hard dat ze bijna omvalt. 'Bemoei je met je eigen zaken!' schreeuwt hij en hij holt terug, de galerij over, in de richting van het trappenhuis. Valerie roept hem nog iets na, maar hij verstaat niet wat. Even houdt hij zijn pas in en hij kijkt om, maar daardoor ziet hij de glazen klapdeur niet. In volle vaart loopt hij ertegenaan, zijn hoofd slaat tegen de ruit en hij valt. Achter zich hoort hij een gil. Dan is er alleen nog

maar donker, verder niets. Of dat lang heeft geduurd, weet hij naderhand niet meer. Vanuit de verte hoort hij zijn naam roepen: 'Milano, Milano!' maar nog steeds is hij er niet helemaal bij, want het draait en suist in zijn hoofd op dezelfde manier als in zijn droom vanmorgen: Humbug wacht op hem met zijn kaken wijd open gesperd. Deze keer is het te laat!
'Milano, zeg eens wat!' Iemand trekt aan zijn arm. Milano knippert met zijn ogen. Valerie staat over hem heen gebogen.
'Laat me los!' Milano krabbelt overeind, hij wankelt. Toch wil hij meteen weglopen, maar Valerie roept:
'Wacht, je bloedt heel erg!'
Milano wrijft over zijn voorhoofd. Zijn hand zit meteen onder het bloed en op datzelfde moment voelt hij een stekende pijn. Zijn ogen schieten vol tranen.
Maar dat wil hij juist helemaal niet, huilen waar Valerie bij is. Hij veegt met zijn arm over zijn gezicht. Dat helpt niet, de tranen blijven komen. Hij weet niet meer wat hij moet doen, het is allemaal zo raar ... Hij gaat maar weer op de grond zitten.
'Ga weg en laat me met rust!' zegt hij. Het lijkt wel of Valerie hem niet hoort. Ze gaat gewoon naast hem op de grond zitten. Ze giechelt, maar tegelijk slaat ze haar hand voor haar mond.
'Sorry, je ziet er ook zo gek uit' zegt ze, 'Je hebt allemaal rode strepen over je gezicht; net een indiaan! Volgens mij

heb je een soort gat in je hoofd. Je kunt dus maar beter even met mij meegaan. Ik woon hier aan het eind van de galerij, op nummer 250.'
'Ik wil niet!' zegt Milano. Hij haalt zijn neus op en hij proeft nog steeds tranen. 'Ik wil niet dat iemand me ziet!' Toch staat hij op en hij loopt met haar mee.
De voordeur van Valerie is ook helderrood. Een grote jongen doet open. Hij fluit als hij Milano's gezicht ziet.
'Wat heb jij gedaan, gevochten?' vraagt hij. 'En, hoe ziet je tegenstander er nu uit?'
'Hou op met plagen, maar help ons liever!' zegt Valerie. Ze trekt Milano aan zijn arm mee naar binnen. 'Luister maar niet naar mijn broer!' zegt ze tegen hem. 'Hij wil altijd de grappigste zijn. Verder is hij best aardig. Etiënne heet hij. Hij studeert voor dokter.' Ze neemt Milano mee, de gang door en dan de badkamer in. Etiënne loopt met hen mee. Hij doet net of het heel gewoon is dat Valerie thuiskomt met een gewonde jongen. 'Laat eens kijken!' zegt hij. Hij pakt Milano bij zijn kin. 'Wat is er eigenlijk gebeurd?'
'Het was mijn schuld!' Milano en Valerie zeggen het allebei tegelijk en ook op precies dezelfde toon. Daardoor schieten ze allebei in de lach. Maar bij Milano eindigt die in een soort snik, bah!
'Nou, daar schiet ik ook niets mee op!' Etiënne maakt een doek nat en daarmee veegt hij Milano's gezicht schoon. Over de tranen zegt hij niets.

In de spiegel kan Milano zien hoe Valerie naar hem kijkt. Ze ziet er verschrikt uit.
'Het was wél mijn schuld!' zegt hij.
'Ja maar ik ...' begint Valerie, maar Etiënne onderbreekt haar.
'Lekker belangrijk!' zegt hij. 'Wat maakt het nou uit? En volgens mij valt het allemaal reuze mee. Een flinke snee is het, meer niet. Doordat het zo bloedt, lijkt het altijd veel erger dan het in werkelijkheid is. Het zou me niets verbazen als je hier ook nog een blauw oog aan overhoudt.' Hij pakt pleister en verbandgaas uit het medicijnkastje en verbindt de wond. 'Je krijgt een speciale behandeling, dat voel je toch zeker wel?' Als antwoord haalt Milano stevig zijn neus op.
'Klaar,' zegt Etiënne even later, 'Zo zal niemand meer van je schrikken, dus bel je ouders maar.'
'Waarom?' vraagt Milano. 'Er is niemand thuis!'
'Dan blijf je maar een tijdje hier!' beslist Etiënne. 'Ik laat je niet alleen naar huis gaan, tenminste voorlopig nog niet. Volgens mij zit de schrik nog in je benen.' Plagerig voegt hij eraan toe: 'Nu hebben jullie mooi de tijd om uit te zoeken wie de schuldige is, maar niet gaan vechten, hoor!' Lachend loopt hij de badkamer uit.
'Flauwerd!' roept Valerie, maar ze kijkt haar grote broer trots na.
'Kom maar mee naar mijn kamer,' zegt ze tegen Milano, 'Dan hebben we van hem geen last meer.'

10. Tegoedbonnen

In het begin is het net of er niets aan de hand is. Bijna lijkt het alsof Milano bij Valerie aan het spelen is, gewoon omdat ze dat hebben afgesproken. Valerie vertelt van alles over zichzelf. Zij is de jongste thuis en ze heeft nog twee andere broers. Die zijn ouder dan Etiënne en ze studeren ook al. Haar ouders zijn op het moment niet thuis, die werken alle twee.

Ze vertelt ook dat ze van dieren houdt. Nou, dat had Milano al wel begrepen: de muren van haar kamer hangen vol dierenposters. Dierenarts wil ze later worden en dan wil ze het liefst in een dierentuin gaan werken.

'En jij?' vraagt ze aan Milano. 'Wat wil jij worden?'

Milano haalt zijn schouders op. Er zijn zo veel dingen die hij leuk vindt, maar kun je daar je beroep van maken?

'Ik weet het niet.' zegt hij.

'Spion soms?' stelt Valerie voor.

Milano loopt er bijna in. 'Nou nee ...' begint hij, dan houdt hij op, want Valerie staat hem lachend aan te kijken.

'Grapje!' zegt ze, maar Milano vindt het helemaal niet leuk. Hij wordt razend.

'Waar bemoei je je mee?' roept hij. 'Je begrijpt er helemaal niets van! Ik ga naar huis!' Hij rukt de deur open.

'Ga maar en doe de groeten aan je onechte oma!' roept Valerie hem achterna.

Met een ruk keert Milano zich om. Er gebeurt iets raars in zijn hoofd. Hij wil hard schreeuwen en tegelijk in tranen uitbarsten, maar hij doet geen van die twee dingen. Hij hapt naar adem en dan zegt hij:
'Oké, je hebt gelijk. Die mevrouw is mijn oma niet. Ik ken haar niet eens. Maar als je wist wat ik gedaan heb, zou je wel anders reageren. Zo leuk is het niet als je iets gestolen hebt.'
Valerie zit op haar bed. Ze houdt haar handen voor haar mond. Nou ja, ze zit te lachen!
'Je maakt het steeds mooier!' giechelt ze. 'Eerst ben je een spion en nu een dief! Wat heb je dan gedaan, bij haar ingebroken soms? Mevrouw Verhagen woont maar een paar deuren verder. Ik ken haar best goed. Als er iets was gebeurd, zouden we dat allang gehoord hebben. Dus denk je dat ik je nu wel geloof?' Ze proest het uit.
'Hou op met dat stomme gelach!' roept Milano. 'Er is niets grappigs aan! Denk je soms dat ik sta te liegen?' Dan vertelt hij zomaar het hele verhaal. Het komt er achterelkaar uit. Vanaf het moment dat hij de tas vond en hij de Targetspullen ging kopen met geld dat daarin zat. Alles, tot aan het moment dat Valerie hem op de galerij zag staan.
'Zo zit het dus!' Milano kijkt haar niet aan, maar hij wacht af. Wat zal ze nu doen? Gaat ze hem haar huis uit sturen, of vertelt ze het meteen door aan haar broer? Waarschijnlijk wil ze niets meer met hem te maken heb-

ben!
Toch kan hij zich daar nu niet druk over maken. Op een of andere manier is hij is enorm opgelucht. Eindelijk heeft hij het allemaal hardop gezegd.
Het blijft even stil in de kamer.
'Nou ja!' zegt Valerie dan. Het klinkt niet geschrokken en zelfs niet of ze het afkeurt. Nu durft Milano wel naar haar te kijken.
Met hoogrode wangen kijkt Valerie naar hem.
'Nou ja!' zegt ze nog een keer terwijl ze diep zucht. Poeh, zoiets zou ík nooit durven! En je vader en moeder, weten die het?'
'Aan hen vertel ik het nooit!' zegt Milano stellig. 'Ik wil niet dat zij het te weten komen. Er is helemaal niemand aan wie ik het durf te vertellen.' Valerie grinnikt en bijna moet hij nu zelf ook lachen. 'Ja, aan jou dus wel, maar dat ging per ongeluk.'
'En nu, wat ga je nu doen?' vraagt Valerie.
'Daar gaat het juist om!' Ik weet niet meer hoe ik het moet oplossen. Ik word er gek van!'
'Je kunt de tas nu toch gewoon voor de deur van haar huis zetten? Dan vindt ze hem vanzelf, makkelijk genoeg.' zegt Valerie. 'Of nee, ik heb een beter plan. De huissleutels zitten er toch in? Nou, je geeft de tas aan mij en dan let ik erop of mevrouw Verhagen een keer weggaat. Op dat moment zet ik stiekem de tas bij haar binnen en klaar!'
'Maar op die manier wil ik het dus niet doen,' zegt

Milano. 'Dan blijf ik een dief en daardoor voel ik me juist zo rot. Ik wil het geld allemaal teruggeven, ook dat wat ik gebruikt heb. Dan pas is het echt klaar. Maar het duurt veel te lang voordat ik het bij elkaar heb gespaard. Zolang kan ik echt niet meer wachten, dat houd ik niet vol!'
'Als ik extra zakgeld wil hebben, dan moet ik dat altijd zelf verdienen!' vertelt Valerie. 'Dan doe ik karweitjes in huis: ramen lappen of de berging opruimen ... dat soort dingen. En ik heb ook een keer een hele week de hond van mijn tante uitgelaten. Daar kreeg ik elke dag een euro voor!'
'Ik zou best kunnen babysitten,' zegt Milano, 'Ik pas ook heel vaak op mijn kleine broertje. Ik wil echt van alles doen, het kan me niet schelen wat het is. Als ik hier maar zo vlug mogelijk vanaf ben!'
'Nou dan doe je dat toch!' zegt Valerie. 'En ik wil je best helpen als je het goedvindt, dat lijkt me leuk! Ik ken genoeg mensen die hulp kunnen gebruiken.' Ze wacht niet af wat Milano ervan vindt, maar ze gaat gewoon door. 'Nee, moet je horen. Ik heb nog iets veel beters bedacht. Mevrouw Verhagen is best al oud. Als jij nou eens voor háár gaat werken, dan kun je het geld op die manier terugverdienen.' Ze springt van haar bed af en doet kamerdeur dicht. Haar ogen schitteren. 'Ik weet hoe het moet: jij kunt toch zo goed tekenen? Nou dan, we gaan tegoedbonnen voor haar maken en die stoppen we in de tas! Dan kunnen we hem meteen vandaag terugzetten.'
'Tegoedbonnen, hoe bedoel je?' Milano begrijpt er even

helemaal niets meer van. 'Wat schieten we daar nou mee op? Daar krijgt ze haar geld niet eerder mee terug!'
'Snap het dan!' roept Valerie. 'We maken allemaal bonnen voor karweitjes die je de komende tijd kunt doen, gewoon met een tekening. En op al die bonnen schrijf je: deze bon is goed voor ... Je kunt verzinnen wat je wilt: *voor het schoonmaken van de kattenbak* of *voor het sjouwen van de weekendboodschappen*. Er zijn wel duizend dingen te bedenken! Een tegoedbon is net zoveel waard als geld. Daarmee heb je het dan eigenlijk al royaal afbetaald! Vind je het geen fantastisch idee?'
Milano wordt aangestoken door haar enthousiasme.
'We kunnen haar vuilniszakken aan de weg zetten, want dat is best zwaar als je oud bent. En eventueel ook de flat stofzuigen! Mijn oma krijgt daar pijn in haar rug van, dus ...'
'Het bed verschonen,' roept Valerie. 'Dat is pas echt lastig werk! En de afwas doen, daar heb ik altijd zo'n hekel aan, vooral aan afdrogen!' Valerie is niet meer te stoppen. 'We kunnen schoenen poetsen en strijken en de badkamer soppen ...'
'Ontbijt op bed brengen!' roept Milano, 'En de wc schoonmaken!'
Ze barsten alle twee in lachen uit.

11. Stripverhaal

Op dat moment komt Etiënne de kamer inlopen.
'Kijk nou, hij kan weer lachen!' zegt hij. 'Volgens mij gaat het een stuk beter met je. Het is een prachtige bult geworden!' Hij kijkt onder de pleister op Milano zijn voorhoofd. 'Zie je wel: er zit nu al een korstje op. Over een paar dagen zie je er niets meer van. Wat denk je, kun je alleen naar huis of zal ik even met je mee fietsen?'
'Hoe laat is het dan?' Milano schrikt als hij op de klok kijkt. 'Ik moet meteen weg!'
'En ons plan dan?' vraagt Valerie. 'Kun je niet blijven; dan bel je straks toch op?'
'Nee!' zegt Milano, 'Ik weet niet eens precies hoe laat mijn moeder terugkomt. Ze schrikt zich dood als ik dan niet thuis ben. Zij denkt nog steeds dat ik een beetje ziek ben.'
'Als je moeder die enorme bult ziet, weet ze meteen dat het echt geen smoes was.' Ze schieten allebei weer in de lach en omdat Etiënne zo verbaasd kijkt, kunnen ze bijna niet meer ophouden.
'Zullen we het morgen dan doen?' dringt Valerie aan.
'Oké, morgen!' Milano belooft het maar wat graag. 'En dan neem ik meteen de tas mee!'
Uiteindelijk fietsen ze met zijn drieën naar het huis van Milano.
'We gaan meteen weer terug!' zegt Etiënne als ze er zijn.
'Milano kan het verder wel alleen.' Maar Valerie wil per se

mee naar binnen.
'Even naar zijn kamer kijken,' zegt ze en ze holt met Milano de tuin in. 'Vijf minuten!' roept Etiënne haar achterna. 'Dan ga ik weg!' Het klinkt streng, maar Valerie lacht hem uit.
'Hij wacht heus wel op me,' zegt ze als ze binnen zijn. 'Het gaat me natuurlijk niet om je kamer. Ik wil alleen even naar die tas kijken.' Maar als ze boven op zijn kamer zijn, kijkt ze verrast om zich heen. 'Leuk!' zegt ze. 'Wat een fijne plek! En die tekeningen daar?' Ze wijst naar het prikbord. 'Heb jij die gemaakt? Gaaf! Maar nu die tas, laat eens zien!' Als Milano hem tevoorschijn haalt, is ze eerst een beetje teleurgesteld. 'Wat een oud ding!' Pas als Milano de volle portemonnee eruit pakt, is ze onder de indruk. 'Daar kun je behoorlijk veel van kopen!' zegt ze, 'Stel je voor!'
'Doe niet zo raar!' zegt Milano en hij stopt de portemonnee vlug weer terug. Door haar opmerking weet hij ineens dat ze iets vergeten zijn, iets belangrijks. Op slag is hij weer zenuwachtig.
'Valerie, er klopt iets niet. We zijn vreselijk stom geweest. Kijk, mevrouw Verhagen wil natuurlijk weten waarom dat geld opeens verdwenen is. En dan wil ze ook weten wie dat gedaan heeft, dat is toch logisch. Als ze zo'n bon inwisselt, vraagt ze me dat. Dan moet ik het alsnog vertellen en dat wil ik dus niet. We moeten echt iets anders verzinnen.'

'Ben je gek, het is juist zo'n goed plan!' protesteert Valerie.
Op dat moment klinkt er van buiten een schel gefluit, drie keer kort achter elkaar.
'Ik moet gaan!' zegt Valerie. 'Kom morgen zo vroeg mogelijk. We bedenken wel iets.' Ze zegt het zo stellig dat Milano haar wel moet geloven.
Als ze weg is, gaat hij zitten tekenen. Helemaal vanzelf wordt het Karos, het vliegende paard. Hij lukt fantastisch goed, veel beter dan die van vanmiddag op school. Deze keer verfrommelt Milano de tekening niet. Hij is voor Valerie, dat is toch logisch! Morgen neemt hij de tekening voor haar mee: ze zal er blij mee zijn.
Zomaar ineens weet Milano dan ook de oplossing voor het probleem van het vertellen: daar kan hij natuurlijk ook een tekening voor maken, een stripverhaal! Hij gaat alles wat er gebeurd is stapje voor stapje uittekenen en die strip stopt hij bij de tegoedbonnen in de tas. Als mevrouw Verhagen hem opendoet, ziet ze dat als eerste.
Wat een ideale vondst, want op deze manier hoeft hij het tenminste niet zelf te vertellen. Dat hij hier niet eerder aan gedacht heeft!
Hij pakt een stapel blaadjes uit de la van de printer en hij gaat aan de slag.
Het is grappig, vandaag lukt alles! Onder zijn vingers ontstaat een spannend verhaal.

Er zit een jongen op een bank. Rond zijn hoofd staan blik-

sems van kwaadheid. Dan komt er een mevrouw naast hem zitten. Ze kijkt naar de jongen. In de tekstballon die uit haar mond komt staat: Hallo!
Rond het hoofd van de jongen verschijnen nog veel meer bliksems.
Dan loopt de mevrouw weg. De jongen vindt de tas. Vraagteken! Hij kijkt in de tas. Twee vraagtekens. Zijn hand verdwijnt in de tas ...

'Ha die Milano, daar zijn we alweer!' De kamerdeur gaat open. Mam komt binnenlopen en Robbie holt achter haar aan. 'Heb je lang moeten wachten? Gaat het goed?'
Help! Milano heeft zo ingespannen zitten tekenen dat hij hen niet heeft horen aankomen. Geen auto, geen buitendeur en ook geen voetstappen in de gang. Met een ruk schuift hij de tekeningen uit het zicht. Hij stoot de pot met viltstiften van de tafel. Op datzelfde moment ontdekt mam de bult en de snee op zijn voorhoofd en zij schrikt nog veel erger.
'Milano, wat is er gebeurd?' roept ze uit.
'Ik ... ik ...' Milano kan nu makkelijk zeggen: *Ik ben keihard tegen de deur aangelopen!* Dat is het eenvoudigste en mam zal dan niets verder vragen. Ze zal hem juist extra knuffelen en verwennen, maar Milano heeft deze keer geen zin in zo'n halve leugen. Niet meer! Alleen kan hij ook niet de hele waarheid vertellen. Nu nog niet. Voorlopig niet!

Hij haalt diep adem.
'Weet je, mam, ik ben niet thuisgebleven, maar ik ben weggeweest. Ik was bij een meisje uit mijn klas. We kregen ruzie en toen ik wegliep, toen gebeurde het.' Zijn gezicht wordt warm. Hij durft zijn moeder niet aan te kijken.
'Nou ja!' zegt zijn moeder. Het klinkt precies zoals Valerie dat vanmiddag zei. Milano grinnikt. Het gaat vanzelf; hij kan het niet tegenhouden.
Zijn moeder begrijpt niet waarom hij nu lacht.
'Nou ja!' zegt ze weer, maar nu op een heel andere toon. 'Vind je dat grappig? Ik niet. Je hebt me gewoon voor de gek gehouden! Je wilde liever bij een vriendin spelen, dat had je toch kunnen zeggen! En ík heb me de hele middag zorgen gemaakt. Nu zie je zelf wat ervan komt! Ik begrijp er niets van!'
Daarna blijft ze kortaf, niet alleen tijdens het eten, maar ook nog daarna.
Nu vergist mam zich. Het was puur toeval dat Valerie hem zag. Dat had hij niet van tevoren bedacht. Toch laat Milano het maar zo. Op de een of andere manier is hij zelfs opgelucht dat mam boos op hem is.
Als ik morgen maar wel naar Valerie mag, denkt hij.
Later als hij op bed ligt, komt mam nog even bij hem. Ze gaat op de rand van zijn bed zitten.
'Pap was zo-even aan de telefoon,' zegt ze. 'Ik heb hem niet verteld wat er gebeurd is. Hij heeft al genoeg aan zijn

hoofd. Dat moet je zelf maar doen als hij weer terug is!'
Daarna geeft ze Milano toch een welterustenkus.

12. Bezoek

Mam schrikt opnieuw als Milano de volgende morgen beneden komt. 'Je oog!' roept ze uit. 'Het is pimpelpaars geworden!' In de spiegel ziet Milano wat ze bedoelt: rondom zijn rechteroog zit een donkere, paarsblauwe kring. Het is bijna om te lachen. Toch voelt hij er niets van, dat is het rare.

Mam is er niet gerust op. 'Misschien moeten we even naar de dokter gaan; dit is niet normaal!' zegt ze. Gelukkig kan Milano vertellen over Etiënne.

'Dat is de broer van Valerie. Hij weet net zoveel als een echte dokter. Ik vraag wel of hij ernaar wil kijken, want ik zou daar toch naartoe gaan.'

Milano moet eerst nog uitleggen dat hij allang geen ruzie meer heeft met Valerie. Hij moet ook beloven dat hij zich rustig zal houden, dan pas vindt mam het goed dat hij gaat. Zijn rugzak zit vol geheime spullen als hij wegfietst.

'Niet stoeien of vechten vandaag!' roept mam hem nog na.

Etiënne doet de deur voor hem open. Hij schiet in de lach als hij Milano ziet.

'Ik had het toch voorspeld!' zegt hij trots. Zijn vingers zijn voorzichtig en zacht als hij aan de bult voelt.

De ouders van Valerie zijn nu wel thuis.

'Gevochten?' vraagt haar vader als Milano binnenkomt. Hij lacht op dezelfde manier als Etiënne.

'Wat doen jullie flauw!' zegt Valerie. Ze neemt Milano

mee naar haar kamer. Daar laat hij meteen zien wat hij in zijn rugzak heeft: de tas, het Targetspel, de drie Targetfiguurtjes en het stripverhaal. Als laatste haalt hij de tekening tevoorschijn.
'Voor mij? Wauw!' zegt Valerie en ze prikt hem meteen op de muur. Maar ze heeft nog meer belangstelling voor de strip.
'Gaaf!' zegt ze. Ze schiet al in de lach bij het eerste plaatje. 'Was je echt zo kwaad, waarom eigenlijk?'
'Ik weet het niet meer!' zegt Milano vlug. Dat gelooft Valerie natuurlijk niet, dus probeert hij het toch maar uit te leggen. Het is lastig, want hij snapt het zelf ook allemaal niet meer. Hij vindt het zelfs behoorlijk stom. Maar misschien heeft hij het toch wel goed uitgelegd, want als hij is uitverteld, zegt Valerie gewoon: 'Ja, ik snap het!' en dan gaan ze aan de slag. Milano gaat door met het tekenen van zijn strip en Valerie begint alvast kaartjes te knippen voor de tegoedbonnen.

Ze zijn net bezig als de moeder van Valerie binnenkomt.
'Valerie, papa en ik gaan nu winkelen en wat doen jullie?'
'Geen belangstelling, wij blijven hier!' zegt Valerie.
Nog geen vijf minuten later gaat de deur weer open en nu is het Etiënne.
'Er is bezoek voor je, Valerie!' kondigt hij aan. Er komt een mevrouw de kamer inlopen, een oudere dame.
Etiënne gaat direct weer weg. Hij doet de deur achter zich

dicht.
'Kinders, mag ik even storen?' vraagt de mevrouw. Ze glimlacht naar Milano. Over zijn oog zegt ze niets.
'Valerie, lieverd, ik kwam net op de galerij je moeder tegen en zij dacht dat je mij wel kon helpen, daarom kom ik even. Weet je, mijn kleinzoon Kasper is komende week jarig en nu heb ik een probleempje ...'
De mevrouw wil een cadeautje voor haar kleinzoon kopen. Ze heeft raad nodig van Valerie want zij is toch ook tien jaar? Kasper wil graag dat nieuwe spel voor de computer. Weet Valerie misschien ...
Het lijkt Milano een heel gewone vraag. *Target*, denkt hij meteen.
De mevrouw zegt nog meer, maar Milano merkt opeens dat Valerie heel vreemd reageert op wat de mevrouw zegt. Ze deinst achteruit en ze ploft neer op het bed. Ze is doodsbleek geworden. Wat is er met haar aan de hand?
De mevrouw heeft het ook in de gaten. Ze houdt op met praten en ze kijkt van Valerie naar Milano. 'Wat is er? Waarom ...?' Dan valt haar blik op de tas die halfverborgen achter Valerie op het bed ligt. Even staat ze met open mond te kijken.
'Maar, maar ... dat is mijn tas; hoe komt die nou hier?' Ze pakt hem op en bekijkt hem van boven tot onder. 'Ja dat is hem, dat is de tas die ik kwijt ben. Ik heb hem van de week ergens laten liggen. Ik ben overal wezen vragen en ik ben ook op het politiebureau geweest. Ik dacht echt dat ik

hem nooit meer terug zou zien en nu staat hij zomaar hier! Heb jij hem gevonden, Valerie? Wat een toeval!'
Nu pas dringt het tot Milano door wat er gebeurt: dit is mevrouw Verhagen, natuurlijk!
Mevrouw Verhagen kan haar ogen nog steeds niet geloven.
'Zit alles er nog in?' vraagt ze, 'Mijn portemonnee? Ik was net bij de pinautomaat geweest, dus ik had een heleboel geld bij me.' Ze maakt de tas open.
'Wacht, niet doen!' roept Valerie. Ze stapt naar voren en het lijkt of ze de tas uit de handen van mevrouw Verhagen wil trekken.
'Wat is er?' vraagt mevrouw Verhagen. 'Wat bedoel je?'
'Ik, ik, ik ...' stottert Valerie.
'Valerie?' zegt mevrouw Verhagen langzaam. Nu is haar gezicht ook spierwit. 'Het geld? Je hebt toch niet mijn geld weggenomen?'
Valerie kijkt naar Milano. Dan kijkt ze naar de grond. Ze geeft geen antwoord.
'Wat vreselijk!' zegt mevrouw Verhagen. Ze gaat op het bed zitten terwijl ze Valerie blijft aankijken.
Nu houdt Milano het niet meer uit.
'Dat is niet eerlijk!' roept hij. 'Valerie heeft hier niets mee te maken! Zij wil me juist helpen. Ík was het. Ík heb het geld gestolen. Niet alles, maar wel heel veel.' Achter elkaar vertelt hij wat hij gedaan heeft. Hij trilt helemaal, maar hij houdt niets achter.
'Dit vind ik héél erg!' zegt mevrouw Verhagen als Milano

is uitgesproken. Ze blijft hem aankijken.
Milano weet niet wat hij terug moet zeggen. Mevrouw Verhagen heeft gelijk!
'Maar hij heeft er spijt van! Hij wil het juist goedmaken!' probeert Valerie hem te helpen. 'Daarom is hij hier!'
Mevrouw Verhagen blijft met haar hoofd schudden. 'Ik moet er over nadenken!' zegt ze. 'Het gaat echt over veel geld! Dat kan ik niet zomaar missen!'
'Maar ...' Milano krijgt ineens een idee, maar hij durft het eigenlijk niet te zeggen. 'U vertelde toch over uw kleinzoon, dat u hem een cadeau wilde geven?
'Target!' roept Valerie en met een sprong staat ze bij de tafel waar het computerspel ligt. 'Dat wilde u toch kopen? Nou, Milano heeft het al voor u gedaan!'
Mevrouw Verhagen begrijpt het nog niet meteen. Valerie en Milano moeten het eerst helemaal uitleggen. Als ze het begrijpt, moet ze toch een beetje lachen.
'Jullie zijn slimmeriken!' zegt ze, maar toch klopt het niet. Je kunt niet doen alsof er niets gebeurd is.'
'Dat wilden we ook niet!' zegt Milano. 'Echt niet, we gaan al het geld terugverdienen!' Hij vertelt over de tegoedbonnen die ze wilden maken en dan laat Valerie ook de strip zien.
'Hij is nog niet klaar, maar zo is het allemaal gebeurd!'
Mevrouw Verhagen bekijkt het stripverhaal en terwijl ze dat doet, grinnikt ze een beetje, maar daarna is ze meteen weer ernstig. Ze zegt:

'Dit is wel héél speciaal, ik moet hier even goed over nadenken.' Ze leunt met gesloten ogen achterover en weer zien Milano en Valerie een klein glimlachje. Daarna gaat ze rechtop zitten. 'Ik weet het al, dat plan van de tegoedbonnen neem ik aan. Ik kan heel goed wat hulp gebruiken, maar ik vind ook dat je het aan je ouders moet vertellen! Dan kan ik er vrede mee hebben!' Ze kijkt Milano aan.
'Nee,' zegt hij, 'Nee, dat wil ik niet. Dat dóe ik niet!'
'Dat had ik allang begrepen,' zegt Mevrouw Verhagen, 'Toch meen ik het!' Ze geeft een vriendelijk tikje tegen zijn wang. 'Ik bedoel ook niet dat je het meteen vandaag moet doen, maar op een keer. Dat moet je me beloven. En tot die tijd heb ik twee hulpjes die alle lastige klusjes voor me doen!' Nu lacht ze voluit en Valerie doet met haar mee.
Milano kijkt van de een naar de ander: hoe kunnen ze daar nou om lachen? Maar voor hij nog een keer 'nee' kan zeggen, heeft Valerie hem bij zijn arm gepakt.
'Zeg nou gewoon: "ja", Milano. We zijn toch zeker samen! We bedenken wel iets!'
Milano haalt diep adem.
'Oké!' zegt hij.

Word jij een nieuwe Kids United held?

In dit boek heb je gelezen over 'actie prik'. Wil jij ook in actie komen om kinderen in andere landen te helpen? Kom dan bij Kids United. De kinderclub van Unicef zoekt helden die meehelpen om kinderen een beter leven te geven. Nog steeds kunnen kinderen niet naar school of worden ziek omdat ze geen prik hebben gehad. Dat kan natuurlijk niet!

Word lid van Kids United

Voor € 10,- per jaar krijg jij:

- → **5x per jaar het Kids United magazine**
- → **je eigen clubpas, keykoord en pet**
- → **toegang tot www.kidsunited.nl**
- → **en je kunt meedoen aan coole acties**

Meer weten? www.kidsunited.nl

Voor kinderactiviteiten in België: www.unicef.be

Een deel van de opbrengst van dit boek komt ten goede aan projecten van Unicef.

AVI 8

1e druk 2006

ISBN 90.276.6320.3
NUR 282

Vormgeving: Rob Galema

Voor België:
Zwijsen-Infoboek, Meerhout
D/2006/1919/111